CW00429470

## L'auteur
## Dominique de Saint Mars

Après des études de sociologie,
elle a été journaliste à *Astrapi*.
Elle écrit des histoires
qui donnent la parole aux enfants
et traduisent leurs émotions.
Elle dit en souriant qu'elle a interviewé
au moins 100 000 enfants...
Ses deux fils, Arthur et Henri,
ont été ses premiers inspirateurs !
Prix de la Fondation pour l'Enfance.
Auteur de *On va avoir un bébé*,
*Je grandis*, *Les Filles et les Garçons*,
*Léon a deux maisons* et
*Alice et Paul, copains d'école*.

## L'illustrateur
## Serge Bloch

Cet observateur plein d'humour
et de tendresse est aussi un maître
de la mise en scène.
Tout en distillant son humour généreux
à longueur de cases, il aime faire sentir
la profondeur des sentiments.

# Nina
## a été adoptée

*Merci à Marie, Nadia,*
*ainsi qu'à Simone Chalon,*
*Marceline Gabel*
*et aux Oeuvres d'Adoption*
*pour leur collaboration.*

© Calligram 1996
Tous droits réservés pour tous pays
Imprimé en Italie
ISBN : 978-2-88445-313-4

*Ainsi va la vie*

# Nina
# a été adoptée

### Dominique de Saint Mars

### Serge Bloch

CALLIGRAM

CHRISTIAN ⏽ GALLIMARD

9

10

11

12

**13**

14

15

16

17

19

21

22

23

Mes parents sont venus me chercher en Pologne, dans une pouponnière. Ils m'ont dit qu'ils avaient passé le premier jour à me faire des sourires...

Le deuxième jour, ils m'ont prise dans leurs bras...

Le troisième jour, ils m'ont donné un bain, j'ai commencé à sourire...

**27**

À LA FIN DE LA CLASSE...

Les enfants, puisque vous êtes là, aidez-moi à ranger, s'il vous plaît.

Mais tu n'as pas envie de retourner dans le pays où on t'a adoptée ?

C'est ici, mon pays ! Mais j'aimerais bien y aller un jour...

28

Vous êtes bêtes, c'est super dur d'expliquer...

Vous savez, avant, on n'osait même pas en parler. On attendait que les enfants soient grands pour leur dire la vérité.

Oui, maintenant, ils savent tout de suite.

En tout cas, moi, je te comprends ! D'ailleurs, j'en ai parlé avec ta maman à notre dernier rendez-vous.

Ah bon ?

Oui, parce que moi aussi, j'ai été adoptée !

QUOI, VOUS ?!

Oui, oui. Mes parents sont morts dans un accident quand j'avais 7 ans...

Oh... c'est triste !

Oui, ç'a été dur... Mais j'ai été adoptée par de nouveaux parents qui m'ont beaucoup aimée.

Et vous êtes devenue leur fille...

Et, maintenant, la mère de leurs petits-enfants !

32

33

34

35

36

39

# Et toi...

Est-ce qu'il t'est arrivé la même histoire qu'à Nina ?

T'arrive-t-il d'en parler ? Es-tu fier de ton histoire,
même un peu mystérieuse ?

N'aimes-tu pas en parler parce que c'est trop
personnel ou as-tu peur qu'on ne te comprenne pas ?

Es-tu curieux de savoir d'où tu viens
et qui étaient ta mère et ton père de naissance ?

Quand tes parents t'ont-ils dit que tu étais adopté ?
Y a-t-il des questions que tu n'oses pas poser ?

As-tu eu des réflexions désagréables ? Si tu ne
ressembles pas du tout à tes parents, cela te gêne-t-il ?

Connais-tu d'autres enfants adoptés ?
En parles-tu facilement avec eux ?

As-tu des copains, des cousins, des frères
ou des sœurs qui ont été adoptés ? Qu'en penses-tu ?

En as-tu parlé avec eux ?
ou trouves-tu que c'est trop personnel ?

T'es-tu intéressé à leur histoire
ou à l'endroit d'où ils viennent ?

Sais-tu comment tu étais bébé ? As-tu parfois imaginé
que tu pourrais aussi être adopté ?

Aimes-tu aussi connaître l'histoire de tes parents,
de tes grands-parents ?

Sais-tu que depuis toujours, des enfants ont « perdu »
leurs parents et ils ont pu heureusement être adoptés ?

**Après avoir réfléchi
à ces questions
sur l'adoption,
tu peux en parler
avec tes parents ou tes amis.**

aurevoir !